UN SAC DE BILLES

Joseph Joffo

Fiche de lecture

Rédigée par Hadrien Seret (Université libre de Bruxelles)

lePetitLittéraire.fr

Retrouvez tout notre catalogue sur www.lePetitLitteraire.fr
Avec lePetitLittéraire.fr, simplifiez-vous la lecture !

4, rue Henri Lemaitre | 5000 Namur
www.primento.com
ISBN 978-2-8062-1399-0
Dépôt légal : D/2011/12.603/321

SOMMAIRE

UN SAC DE BILLES

JOSEPH JOFFO

Né en 1931 à Paris, Joseph Joffo est un auteur français d'origine juive. Il a d'abord exercé le métier de coiffeur avant de se mettre à l'écriture pour exorciser les démons de son enfance : de cette introspection naitra *Un sac de billes*, qui deviendra un best-seller mondial.

Son œuvre se compose dans sa grande majorité d'autobiographies. Il est également l'auteur d'ouvrages de fiction comme *Anna et son orchestre* (1975), *Le Cavalier de la Terre Promise* (1983) ou de nouvelles comme *Bashert* (2009). Il est à noter que Joseph Joffo n'est pas l'auteur de ses récits publiés dans leur forme définitive. En effet, ce dernier recourt à des nègres littéraires pour parfaire la rédaction d'intrigues dont il a rédigé le brouillon auparavant.

- **Né en 1931 à Paris**
- **Écrivain français**
- **Quelques-unes de ses œuvres :**

Baby-foot (1977), la suite d'*Un sac de bille*, roman
Tendre Été (1981), roman
Simon et l'enfant (1985), roman

Itinéraire d'un enfant juif pendant la Seconde Guerre mondiale

Un sac de billes est une autobiographie de Joseph Joffo couvrant les années 1941-1945 de sa vie. Il s'agit de son œuvre la plus connue : elle a été vendue à plusieurs millions d'exemplaires et traduite en dix-huit langues.

L'auteur y raconte les péripéties qu'il a vécues avec son frère Maurice afin d'échapper aux Nazis sous le gouvernement de Vichy jusqu'à la fin de la guerre. Pendant ce voyage, des périodes heureuses et insouciantes alternent avec des moments plus délicats de danger et d'emprisonnement.

Ce récit est le deuxième tome d'une trilogie qui raconte l'enfance de Joseph Joffo. Les deux autres sont *Agates et Calots* (1997), qui se déroule avant *Un sac de billes*, et *Babyfoot* (1977) qui en est la suite.

1. RÉSUMÉ

Paris, 1941. Dans le quartier juif de Clignancourt, **Maurice et Joseph Joffo** jouent aux billes. Après une partie mouvementée, les deux frères rentrent chez eux, dans l'appartement situé juste au-dessus du salon de coiffure de leur père. Alors qu'ils pénètrent dans la bâtisse, deux S.S. entrent pour se faire coiffer. Une fois la coupe achevée, ils s'en vont, non sans apprendre qu'ils se sont fait **servir par un Juif dans un quartier juif**.

Peu après, **l'étoile juive** est instaurée : Maurice et Joseph s'en voient coudre une sur leur veston. Ce nouvel insigne ne passe **pas inaperçu** : à l'école, il inspire **la terreur** aux professeurs et provoque **des bagarres** et du **racisme** durant les récréations. Néanmoins, **Joseph arrive à échanger la sienne** avec son copain Zérati **contre un sac de billes**.

Devant des discriminations de plus en plus dures envers les juifs, le père de Joseph ordonne à ses deux fils **de passer en zone libre** pour rejoindre leurs frères Albert et Henri à **Menton** où ils seront en sécurité. Durant le trajet, ils devront être prudents et n'**avouer en aucun cas qu'ils sont juifs**. Leurs parents arriveront plus tard et par d'autres chemins.

Pourvus de musettes ainsi que dix mille francs, Maurice et Joseph se rendent à la gare d'Austerlitz afin de prendre le **train pour Dax**. Le trajet est long et pénible à cause du manque de boisson et de nourriture. Arrivés à destination, les deux frères constatent avec effroi que deux S.S. s'apprêtent à contrôler leur wagon alors qu'eux-mêmes **n'ont pas de papiers**. Ils sont néanmoins pris sous **la protection d'un voyageur, prêtre** de son état, qui leur évite des ennuis.

Peu après, ils parviennent au village d'Hagetmau, où ils se ruinent en nourriture. Ils passent ensuite en **zone libre.** Durant la nuit de ce passage, **Maurice s'improvise lui-même passeur** et gagne de quoi subvenir à leurs besoins un petit temps. Le lendemain, ils arrivent en calèche à Aire-sur-Adour, d'où ils prennent le **train pour Marseille.**

À Marseille, les deux frères découvrent **la mer** et **le cinéma de propagande nazi**. Alors qu'ils s'apprêtent à reprendre le train pour Menton, ils manquent de se faire arrêter par deux policiers un peu trop attentifs.

Ils retrouvent finalement Albert et Henri sous le soleil de Menton. Ces derniers ont réussi à s'installer dans le village en tant que coiffeurs. Durant quelques jours, les enfants **profitent** du beau temps, d'activités comme le football et des nouveaux amis qu'ils se font. Mais, bien vite, ils se mettent à **chercher du travail** pour aider leurs frères à subvenir à leurs besoins :

Maurice est engagé dans **une boulangerie** tandis que **Joseph** ira **aider le fermier Vallier** dans des pâturages en montagne et tenir compagnie à sa femme, une ancienne aristocrate passionnée de musique, de livres et d'échecs.

Un jour, alors qu'il redescend vers Menton, Joseph apprend de la bouche d'Albert **que ses parents ont été pris dans une rafle et emprisonnés au stade de Pau**. Henri part en France pour tenter de les libérer et, pendant ce temps, les deux frères **sont scolarisés**. Une semaine plus tard, Henri revient avec de **bonnes nouvelles** : leurs parents ont été relâchés et ils se sont installés à Nice. Mais la joie est de courte durée : Albert et Henri sont réquisitionnés pour travailler en Allemagne, ce qui oblige la famille de Menton à **fuir pour Nice**.

Dans cette ville, Maurice et Joseph sont **appréciés** de la plupart **des soldats italiens** présents. Parallèlement à leur activité d'écolier, ils gagnent **des sommes rondelettes** grâce à leurs combines. Mais, bien vite, le départ des Italiens au front et l'arrivée des Allemands dans la cité oblige la famille Joffo à se séparer une fois encore et les deux frères à repartir sur les routes.

Sur les conseils de leur père, ils **se rendent à la « Moisson Nouvelle »**, un camp d'éducation subventionné par le gouvernement de Vichy, mais qui s'avère être en réalité un abri pour enfants juifs. Là, ils **s'initient à la cuisin**e et mènent une vie tranquille. Néanmoins, lors d'une virée à Nice avec le chauffeur du camp, ils sont **arrêtés** et emmenés à l'hôtel **Excelsior,** le **quartier général des S.S.**

Les deux frères sont **interrogés** plusieurs fois séparément, mais une **ruse** imaginée longtemps auparavant leur permet de **ne pas se trahir**. Ils profitent également de la **complicité d'un médecin juif** qui fait passer leur **circoncision** pour **une opération chirurgicale**. Dans l'attente de leur jugement, ils sont emprisonnés une semaine dans l'hôtel, sept jours où Joseph tombe malade et délire. Entretemps, le chef des lieux a été remplacé et le nouveau leur a posé un ultimatum : ils devront produire **des certificats de baptême** dans les deux jours, faute de quoi ils seront déportés. Maurice arrive à les obtenir d'un curé, dont les efforts acharnés permettront de les libérer.

De retour à la « Moisson Nouvelle », les deux frères apprennent que **leur père a été pris dans une rafle**. En danger, ils trouvent d'abord **refuge** chez une de leurs sœurs à Montluçon. Cette dernière, par peur d'un dénonciateur qui sévit dans le hameau, les envoie au village de R.

Les années 1943 et 1944 passent. À R., Joseph est **livreur de journaux** et **libraire** chez Mancelier, un **pétainiste** convaincu. Il rend aussi quelques services à la Résistance locale. Maurice, quant à lui, travaille dans un restaurant. Pour mettre du beurre dans leurs épinards, ils **trafiquent des tickets de rationnement**.

Quelques temps plus tard, **Paris est libérée et les Allemands quittent la France**. Joseph profite de cette occasion pour rentrer dans la capitale. Son frère le suivra bientôt, non sans récolter les fruits d'une ultime combine.

Dans la ville lumière, la famille Joffo s'est reformée dans le salon de coiffure : **hormis le père, dont on n'a plus aucune nouvelle, tout le monde est sain et sauf.**

2. ÉTUDE DES PERSONNAGES

Joseph Joffo

Il est à la fois **l'auteur et le personnage principal** de **cette autobiographie**. C'est pourquoi le récit est centré principalement sur sa personne et qu'on ne peut connaitre l'histoire des autres personnages que lorsqu'ils sont en sa présence (par exemple, lorsque Joseph travaille chez Vallier dans les montagnes, on ne sait pas ce que fait Maurice ni ses deux autres frères).

Au moment du récit, en 1941, il n'est qu'un petit garçon juif de **dix ans**, bon élève à l'école et exécrable joueur de billes. Il possède une **curiosité intellectuelle** qui le pousse à dévorer les rares livres qui tomberont sous sa main durant ses pérégrinations.

Cette caractéristique rend **difficile l'adaptation** du petit Joffo à son nouveau statut de **nomade**. Ainsi, durant la première partie de leur périple vers Menton, il s'en remet entièrement au bon sens de son frère, s'abandonnant complètement à ses décisions et se contentant simplement de le suivre.

Cependant, la fuite perpétuelle qu'il entame à travers la France et l'Italie se transforme peu à peu **en voyage initiatique** qui **change** son **caractère** enfantin et naïf. En effet, il s'**endurcit**, tant **physiquement** (« Je peux marcher plus longtemps à présent, je n'ai plus d'ampoules. La plante de mes pieds, la peau de mes talons a dû durcir », 198) que **psychologiquement** (« Je me demande si je suis encore un enfant [...] il me semble que les osselets ne me tenteraient plus, les billes non plus d'ailleurs [...] Pourtant, ce sont des choses de mon âge, après tout, je n'ai pas tout à fait douze ans, cela devrait me faire envie ... eh bien non », 198-199) et il commencer à tirer profit de la **sympathie naturelle** qu'éprouvent les gens à son égard (par exemple, le traitement de faveur dont il jouit dans le bar de Tite, à Nice).

Parallèlement, il développe au fil de l'histoire **une intelligence pratique** qui, si elle n'égalera jamais celle de son frère, lui permettra néanmoins de se sortir de quelques faux pas (par exemple, il arrive à échapper aux deux policiers de la gare de Marseille en demandant l'heure à un passant).

Ces deux qualités, conjuguées à un brin de chance, parviennent à sauver Joseph Joffo de l'oppression nazie et à le ramener sain et sauf dans la capitale française libérée.

Maurice Joffo

De deux ans plus âgé que Joseph, dont il est le **grand frère**, Maurice Joffo est un garçon impulsif, bagarreur, **rusé et doué d'un sens pratique exceptionnel**. Dans *Un sac de billes*, il s'impose vite comme **protecteur de Joseph** durant le périple dans lequel leurs parents les ont lancés.

En effet, jusqu'à son arrivée à Menton, c'est Maurice qui se charge **d'éviter les écueils** pour qu'ils parviennent, lui et son frère, à bon port : on le voit ainsi récolter des sommes astronomiques en se transformant en passeur, canaliser les idées subites de Joseph ou encore s'occuper de lui en le réveillant dans les trains. C'est également lui qui élabore la fausse histoire de **leurs origines algériennes** et procure aux S.S. de Nice **les certificats de baptême** qui leur permettront d'être libérés de l'hôtel Excelsior.

Il se distingue aussi par **sa polyvalence et sa faculté d'entreprendre** : ainsi, il endosse tour à tour les métiers de passeur, de boulanger ou encore de restaurateur. Il est, de plus, à l'origine des marchandages fructueux que mettent en place les deux frères.

Au fur et à mesure de la narration, sa **présence** se fait **discrète** alors que celle de Joseph s'affirme de plus en plus. Il ne disparait cependant pas de la circulation et apparait encore **de manière ponctuelle.** Lui aussi finit par rejoindre Paris, mais avec le panache d'une **ultime ruse** qui caractérise à elle seule tout **l'intérêt de ce personnage**.

3. CLÉS DE LECTURE

Une autobiographie pour la mémoire

Un témoignage...

Un sac de billes n'est pas une œuvre de fiction. Comme on l'a mentionné plus haut, il s'agit d'une **autobiographie** rédigée par l'auteur. Ce qui implique que tous **les évènements** qui y sont narrés sont **véridiques**. L'authenticité des faits racontés explique qu'on a souvent rangé ce récit dans la catégorie des **témoignages de la Seconde Guerre mondiale**.

Trente ans plus tard

Dans la postface qu'il a ajoutée plus tard à son livre, Joseph Joffo justifie **l'écart temporel** qui sépare les **évènements** de leur mise sur **papier**. Comme beaucoup d'auteurs ayant raconté leur vécu du conflit, il n'avait au départ **aucune intention** de décrire **son expérience**. C'est le passage du temps ainsi que la vivacité des traumatismes subis trente ans plus tôt qui l'ont poussé à en faire un récit afin de **les exorciser complètement**.

L'auteur a aussi ajouté **une dimension mémorielle** à ce récit de vie : à travers ce dernier, il veut transmettre aux générations suivantes **les valeurs** qu'il met en évidence dans son livre et faire en sorte qu'on **n'oublie pas** les atrocités qui ont été commises.

Quelques repères historiques pour mieux comprendre Un sac de billes

Parce qu'il s'agit d'un témoignage sur la Seconde Guerre mondiale, de nombreuses **allusions à l'Histoire** sont effectuées, que ce soit dans les descriptions ou dans les dialogues. Si elles ne sont pas capitales pour assimiler le récit, leur perception par le lecteur permet néanmoins de saisir toute **l'intensité dramatique de l'intrigue et de son cadre**. Voici donc le rappel de quelques moments-clés pour mieux comprendre le conflit et la persécution dont les Juifs ont été victimes.

- **L'origine de la guerre: Le traité de Versailles**

  Après l'armistice de 1918, les **Alliés** de la Première Guerre mondiale (notamment la France, la Belgique et la Grande- Bretagne) font signer à l'Allemagne vaincue le « **Traité de Versailles** ». Ce dernier déclare l'Allemagne **responsable du conflit** et l'oblige à payer de **lourds tributs** à ceux qu'elle a injustement attaqués. En outre, elle est **démilitarisée** et ses colonies sont **partagées** entre les vainqueurs.

  Durement frappée par la crise économique de 1929, la nation allemande est complètement **anéantie** : la plupart de ses habitants sont au chômage et la monnaie nationale ne vaut plus rien (par exemple, il faut plusieurs millions de Deutsche Mark pour acheter un pain !).

- **L'avènement d'Hitler et l'idéologie de la supériorité de la race germanique**

  C'est dans ce contexte difficile qu'**Adolf Hitler**, après une tentative de coup d'état ratée, est élu chancelier en 1934. Très vite, il façonne un régime où il **concentre le pouvoir entre ses mains** et distribue les postes-clés à des hommes de confiance. Il crée ensuite des **camps** de travail et des **industries** militaires pour endiguer **le chômage**. Il dote le pays d'**infrastructures** (autoroutes, etc.) et d'**institutions** (comme la soupe populaire par exemple) pour le confort du peuple.

  Il développe également sa **propre idéologie** : cette dernière affirme **la suprématie de la race germanique sur toute autre personne**. Son objectif est de créer un grand empire allemand dont l'Allemagne serait le cœur et qui contiendrait le peuple le plus puissant et le plus parfait du monde. Pour atteindre un tel degré de pureté, Hitler a l'intention d'**éradiquer** tous ceux qui pourraient **débiliter la nation allemande** : les handicapés physiques et mentaux, les homosexuels et **les Juifs**.

  Pour ce faire, il met en place une police secrète chargée d'éliminer les opposants au régime, la **Gestapo**, ainsi qu'un organisme principalement chargé d'organiser et la déportation et l'extermination des Juifs, les **SS** (dont on voit un exemple de l'efficacité et de la cruauté lorsque les Joffo sont détenus à l'Excelsior).

- **Capitulation de la France et mise en place du gouvernement de Vichy**

  Afin de concrétiser ses ambitions, l'Allemagne déclenche **la Seconde Guerre mondiale** en **1939** en envahissant l'Autriche, la Pologne, puis la Tchécoslovaquie. Un an plus tard, la France est battue et capitule. Le « **Gouvernement de Vichy** » est mis en place avec à sa tête **Philippe Pétain**, général français pourtant célèbre pour avoir joué un rôle décisif dans la victoire française de 14-18.

Ce régime se distingue par **une collaboration totale et entière** avec les Allemands, ce qui se traduit par un envoi massif de Juifs dans **les camps de concentration**.

Le peuple français réagit principalement de deux manières – toutes deux illustrées par Joffo dans son livre – face à ce nouveau pouvoir : en choisissant **la coopération** (Mancelier, les miliciens, etc.) ou la **résistance**, qu'elle soit **active** (le personnage de M. Jean, les prêtres, les maquisards, etc.) ou **passive** (cf. le camp de la « Moisson Nouvelle »).

- **La stigmatisation des Juifs : l'étoile jaune et les rafles**

Vers 1942, le régime nazi instaure **le port de l'étoile juive** en Allemagne. Il s'agit d'une pièce de textile jaune en forme d'étoile que les Juifs étaient tenus de coudre sur leurs habits. Cette dernière permettait de **les identifier** et ainsi d'appliquer les **restrictions** décidées à l'égard de la « race judaïque » : entre autres, interdiction de pratiquer certains métiers, rationnement des vivres et exclusion des écoles.

Le gouvernement de Vichy installe un système similaire en France et, très vite, organise des convois en direction des camps de la mort (cf. le système des « tickets verts », mis en place à Nice).

Pour capturer des Juifs, la police – qu'elle soit allemande ou française – organisait le plus souvent des **rafles** : il s'agissait d'opérations de plus au moins grande envergure visant à arrêter des personnes habitant dans un quartier ou un lieu donné. Une fois toutes les identités contrôlées, on renvoyait les personnes en règle et on **emprisonnait les Juifs** ou d'éventuels suspects.

Les Juifs pouvaient être également incarcérés par **simple dénonciation**. L'anonymat, qui caractérisait cette dernière, rendait insupportable la vie des personnes en danger (cf. la peur de la sœur de Maurice et Joseph).

Un hommage aux Justes

Joseph Joffo dresse tout au long de son ouvrage le portrait de personnes auxquelles la postérité a donné le nom de « **Justes de France** ». Il s'agit d'hommes et de femmes qui, parfois au péril de leur vie, ont **aidé des Juifs à échapper à la traque menée par les Nazis**.

Dans *Un sac de billes*, il centre surtout ses hommages sur **le clergé de France**, dont il considère que l'action secrète mais efficace a été un frein considérable aux déportations : ainsi, l'auteur insiste particulièrement sur les agissements du curé du train ou de celui de la Buffa sans qui les Joffo auraient été arrêtés et envoyés dans les camps de concentration.

Un récit tiré entre espoir et peur

Au-delà de son caractère véridique, on peut dégager une certaine **structure** dans la narration du récit. Une structure qui consiste en **l'enchainement de périodes calmes et plus tragiques** qui reflètent à elles seules les deux thèmes autour desquels Joseph Joffo a axé son histoire : **la peur et l'espoir**.

En effet, en livrant son témoignage, l'auteur n'entend pas être l'initiateur d'une énième critique du régime d'Hitler : il veut simplement transmettre une histoire qui décrit **la réalité de la guerre** tout en y laissant en filigranes **un message d'espérance**.

a) La peur

Lorsque les deux frères quittent Paris, ils sont amenés à évoluer dans un climat où **la peur est omniprésente** : il s'agit d'abord de leur propre peur, intiment mêlée à celle de l'inconnu, du lendemain : **cette terreur de ne pas savoir où on va ni ce qui arrivera**. Très vite, pour tenter de la combattre Maurice et Joseph décident implicitement de vivre au jour le jour et d'improviser si cela venait à mal tourner.

Il y a également **la peur inhérente à la traque antisémite** dont ils sont victimes : cette crainte trouve sa manifestation la plus claire au cours de leur arrestation violente à Nice.

b) L'espoir

Entre ces instants dramatiques, Joseph Joffo prend la peine de mettre en évidence des moments plus doux, que l'on pourrait considérer comme des **accalmies**. Ces dernières sont l'occasion pour l'auteur de peindre **un quotidien du conflit moins sombre**, presque normal et sympathique, où les deux enfants parviennent à grandir et s'épanouir. Comme pour encore appuyer **le caractère tranquille et merveilleux de ces trêves**, Joseph Joffo les dépeint toujours comme se déroulant dans des lieux ensoleillés (Marseille, Menton, ville qualifiée de « paradis ») et souvent prétexte à des découvertes bouleversantes (le cinéma à Marseille, la vie de Montagne à Menton).

4. PISTES DE RÉFLEXION

Quelques questions pour approfondir sa réflexion...

- Quel est le but poursuivi par l'auteur en écrivant un roman autobiographique ?
- Peut-on dire que l'écriture de ce livre fut pour Joseph Joffo une démarche thérapeutique ?
- À quoi la structure dramatique du roman est-elle due ? Développez.
- Quelle place l'auteur accorde-t-il dans son livre à l'histoire par rapport à son propre vécu ?
- Joseph et son frère sont-ils, selon vous, victimes de l'oppression nazie bien qu'ils n'aient pas été déportés dans un camp ?
- En quoi le périple de Joseph à travers la France et l'Italie constitue-t-il un voyage initiatique ?
- Comparez cet ouvrage avec *Tanguy* de Michel del Castillo. Il s'agit d'un roman en par tie autobiographique où l'auteur raconte lui aussi son enfance marquée par la guerre 40-45. Quelles sont les différences et les points communs entre les deux œuvres ?
- Ce livre a fait l'objet d'une adaptation cinématographique. À votre avis, quelle œuvre, du livre ou du film, est la plus parlante ? Justifiez.
- Pensez-vous que tous les témoignages sur la guerre 40-45 ou sur la Shoah puissent être adaptés au cinéma ? Pensons notamment à *L'espèce humaine* de Robert Antelme ou à *Si c'est un homme* de Primo Levi. Justifiez votre avis.

5. INFORMATIONS COMPLÉMENTAIRES

Édition de référence

- Joffo Joseph, *Un sac de billes*, Paris, Le Livre de Poche, 2001.

Sources de références

- Le Groignec Jacques, *L'étoile jaune : la double ignominie*, Paris, Nouvelles éditions Latines, 2003.
- Maison Olivier, *Qui sont les nègres ?*, 30 Novembre 1999, http://www.marianne2.fr/Qui-sont-les-negres_a96316.html, consulté le 14/08/2010.
- Pirenne Jacques, *Histoire de l'Europe*, Bruxelles, La Renaissance du Livre, 1962, Tome IV : *Du Traité de Versailles au Pacte Atlantique.*
- SVP Israël, *Joseph Joffo : «Ces Justes de France qui nous ont aidés à fuir le nazisme»*, 12 janvier 2009, http://www.juif.org/le-mag/65,joseph-joffo-ces-justes-de-france-qui-nous-ont-aides-a-fuir-le.php, consulté le 13/08/2010.

Adaptations

- *Un Sac de billes* a fait l'objet d'une adaptation cinématographique réalisée par Jacques Doillon en 1975.

Frank, *Le Journal d'Anne Frank*
Gary, *La Promesse de l'aube*
Gary, *La Vie devant soi*
Gary, *Les Cerfs-volants*
Gary, *Les Racines du ciel*
Gaudé, *Eldorado*
Gaudé, *La Mort du roi Tsongor*
Gaudé, *Le Soleil des Scorta*
Gautier, *La morte amoureuse*
Gautier, *Le capitaine Fracasse*
Gautier, *Le chevalier double*
Gautier, *Le pied de momie et autres contes*
Gavalda, *35 kilos d'espoir*
Gavalda, *Ensemble c'est tout*
Genet, *Journal d'un voleur*
Gide, *La Symphonie pastorale*
Gide, *Les Caves du Vatican*
Gide, *Les Faux-Monnayeurs*
Giono, *Le Chant du monde*
Giono, *Le Grand Troupeau*
Giono, *Le Hussard sur le toit*
Giono, *L'homme qui plantait des arbres*
Giono, *Les Âmes fortes*
Giono, *Un roi sans divertissement*
Giordano, *La solitude des nombres premiers*
Giraudoux, *Electre*
Giraudoux, *La guerre de Troie n'aura pas lieu*
Gogol, *Le Manteau*
Gogol, *Le Nez*
Golding, *Sa Majesté des Mouches*
Grimbert, *Un secret*
Grimm, *Contes*
Gripari, *Le Bourricot*
Guilleragues, *Lettres de la religieuse portugaise*
Gunzig, *Mort d'un parfait bilingue*
Harper Lee, *Ne tirez pas sur l'oiseau moqueur*
Hemingway, *Le Vieil Homme et la Mer*
Hessel, *Engagez-vous!*
Hessel, *Indignez-vous!*
Higgins, *Harold et Maud*
Higgins Clark, *La nuit du renard*
Homère, *L'Iliade*
Homère, *L'Odyssée*
Horowitz, *La Photo qui tue*
Horowitz, *L'Île du crâne*
Hosseini, *Les Cerfs-volants de Kaboul*
Houellebecq, *La Carte et le Territoire*
Hugo, *Claude Gueux*
Hugo, *Hernani*
Hugo, *Le Dernier Jour d'un condamné*
Hugo, *L'Homme qui Rit*
Hugo, *Notre-Dame de Paris*
Hugo, *Quatrevingt-Treize*
Hugo, *Les Misérables*
Hugo, *Ruy Blas*
Huston, *Lignes de faille*
Huxley, *Le meilleur des mondes*
Huysmans, *À rebours*
Huysmans, *Là-Bas*
Ionesco, *La cantatrice Chauve*
Ionesco, *La leçon*
Ionesco, *Le Roi se meurt*
Ionesco, *Rhinocéros*
Istrati, *Mes départs*
Jaccottet, *A la lumière d'hiver*
Japrisot, *Un long dimanche de fiançailles*
Jary, *Ubu Roi*
Joffo, *Un sac de billes*
Jonquet, *La vie de ma mère!*
Juliet, *Lambeaux*
Kadaré, *Qui a ramené Doruntine?*
Kafka, *La Métamorphose*
Kafka, *Le Château*
Kafka, *Le Procès*
Kafka, *Lettre au père*
Kerouac, *Sur la route*
Kessel, *Le Lion*
Khadra, *L'Attentat*
Koenig, *Nitocris, reine d'Egypte*
La Bruyère, *Les Caractères*
La Fayette, *La Princesse de Clèves*
La Fontaine, *Fables*
La Rochefoucauld, *Maximes*
Läckberg, *La Princesse des glaces*
Läckberg, *L'oiseau de mauvais augure*
Laclos, *Les Liaisons dangereuses*
Lamarche, *Le jour du chien*
Lampedusa, *Le Guépard*
Larsson, *Millenium I. Les hommes qui n'aimaient pas les femmes*
Laye, *L'enfant noir*
Le Clézio, *Désert*
Le Clézio, *Mondo*
Leblanc, *L'Aiguille creuse*
Leiris, *L'Âge d'homme*
Lemonnier, *Un mâle*
Leprince de Beaumont, *La Belle et la Bête*
Leroux, *Le Mystère de la Chambre Jaune*
Levi, *Si c'est un homme*
Levy, *Et si c'était vrai...*
Levy, *Les enfants de la liberté*
Levy, *L'étrange voyage de Monsieur* Daldry
Lewis, *Le Moine*
Lindgren, *Fifi Brindacier*
Littell, *Les Bienveillantes*
London, *Croc-Blanc*
London, *L'Appel de la forêt*
Maalouf, *Léon l'africain*
Maalouf, *Les échelles du levant*
Machiavel, *Le Prince*
Madame de Staël, *Corinne ou l'Italie*
Maeterlinck, *Pelléas et Mélisande*
Malraux, *La Condition humaine*
Malraux, *L'Espoir*
Mankell, *Les chaussures italiennes*
Marivaux, *Les Acteurs de bonne foi*
Marivaux, *L'île des esclaves*
Marivaux, *La Dispute*
Marivaux, *La Double Inconstance*
Marivaux, *La Fausse Suivante*
Marivaux, *Le Jeu de l'amour et du hasard*
Marivaux, *Les Fausses Confidences*
Maupassant, *Boule de Suif*
Maupassant, *La maison Tellier*
Maupassant, *La morte et autres nouvelles fantastiques*
Maupassant, *La parure*
Maupassant, *La peur et autres contes fantastiques*
Maupassant, *Le Horla*
Maupassant, *Mademoiselle Perle et autres nouvelles*
Maupassant, *Toine et autres contes*
Maupassant, *Bel-Ami*
Maupassant, *Le papa de Simon*
Maupassant, *Pierre et Jean*
Maupassant, *Une vie*
Mauriac, *Le Mystère Frontenac*
Mauriac, *Le Noeud de vipères*
Mauriac, *Le Sagouin*
Mauriac, *Thérèse Desqueyroux*
Mazetti, *Le mec de la tombe d'à côté*
McCarthy, *La Route*
Mérimée, *Colomba*
Mérimée, *La Vénus d'Ille*
Mérimée, *Carmen*
Mérimée, *Les Âmes du purgatoire*
Mérimée, *Matéo Falcone*
Mérimée, *Tamango*
Merle, *La mort est mon métier*
Michaux, *Ecuador et un barbare en Asie*
Mille et une Nuits
Mishima, *Le pavillon d'or*
Modiano, *Lacombe Lucien*
Molière, *Amphitryon*
Molière, *L'Avare*
Molière, *Le Bourgeois gentilhomme*
Molière, *Le Malade imaginaire*
Molière, *Le Médecin volant*
Molière, *L'Ecole des femmes*
Molière, *Les Précieuses ridicules*
Molière, *L'Impromptu de Versailles*
Molière, *Dom Juan*
Molière, *Georges Dandin*
Molière, *Le Misanthrope*
Molière, *Le Tartuffe*
Molière, *Les Femmes savantes*
Molière, *Les Fourberies de Scapin*
Montaigne, *Essais*
Montesquieu, *L'Esprit des lois*
Montesquieu, *Lettres persanes*
More, *L'Utopie*
Morpurgo, *Le Roi Arthur*
Musset, *Confession d'un enfant du siècle*
Musset, *Fantasio*
Musset, *Il ne faut juger de rien*
Musset, *Les Caprices de Marianne*
Musset, *Lorenzaccio*
Musset, *On ne badine pas avec l'amour*
Musso, *La fille de papier*
Musso, *Que serais-je sans toi?*
Nabokov, *Lolita*
Ndiaye, *Trois femmes puissantes*
Nemirovsky, *Le Bal*
Nemirovsky, *Suite française*
Nerval, *Sylvie*
Nimier, *Les inséparables*
Nothomb, *Hygiène de l'assassin*
Nothomb, *Stupeur et tremblements*
Nothomb, *Une forme de vie*
N'Sondé, *Le coeur des enfants léopards*
Obaldia, *Innocentines*
Onfray, *Le corps de mon père, autobiographie de ma mère*
Orwell, *1984*
Orwell, *La Ferme des animaux*
Ovaldé, *Ce que je sais de Vera Candida*
Ovide, *Métamorphoses*
Oz, *Soudain dans la forêt profonde*

Pagnol, *Le château de ma mère*
Pagnol, *La gloire de mon père*
Pancol, *La valse lente des tortues*
Pancol, *Les écureuils de Central Park sont tristes le lundi*
Pancol, *Les yeux jaunes des crocodiles*
Pascal, *Pensées*
Péju, *La petite chartreuse*
Pennac, *Cabot-Caboche*
Pennac, *Au bonheur des ogres*
Pennac, *Chagrin d'école*
Pennac, *Kamo*
Pennac, *La fée carabine*
Perec, *W ou le souvenir d'Enfance*
Pergaud, *La guerre des boutons*
Perrault, *Contes*
Petit, *Fils de guerre*
Poe, *Double Assassinat dans la rue Morgue*
Poe, *La Chute de la maison Usher*
Poe, *La Lettre volée*
Poe, *Le chat noir et autres contes*
Poe, *Le scarabée d'or*
Poe, *Manuscrit trouvé dans une bouteille*
Polo, *Le Livre des merveilles*
Prévost, *Manon Lescaut*
Proust, *Du côté de chez Swann*
Proust, *Le Temps retrouvé*
Queffélec, *Les Noces barbares*
Queneau, *Les Fleurs bleues*
Queneau, *Pierrot mon ami*
Queneau, *Zazie dans le métro*
Quignard, *Tous les matins du monde*
Quint, *Effroyables jardins*
Rabelais, *Gargantua*
Rabelais, *Pantagruel*
Racine, *Andromaque*
Racine, *Bajazet*
Racine, *Bérénice*
Racine, *Britannicus*
Racine, *Iphigénie*
Racine, *Phèdre*
Radiguet, *Le diable au corps*
Rahimi, *Syngué sabour*
Ray, *Malpertuis*
Remarque, *A l'Ouest, rien de nouveau*
Renard, *Poil de carotte*
Reza, *Art*
Richter, *Mon ami Frédéric*
Rilke, *Lettres à un jeune poète*
Rodenbach, *Bruges-la-Morte*
Romains, *Knock*
Roman de Renart
Rostand, *Cyrano de Bergerac*
Rotrou, *Le Véritable Saint Genest*
Rousseau, *Du Contrat social*
Rousseau, *Emile ou de l'Education*
Rousseau, *Les Confessions*
Rousseau, *Les Rêveries du promeneur solitaire*
Rowling, *Harry Potter–La saga*
Rowling, *Harry Potter à l'école des sorciers*
Rowling, *Harry Potter et la Chambre des Secrets*
Rowling, *Harry Potter et la coupe de feu*
Rowling, *Harry Potter et le prisonnier d'Azkaban*
Rufin, *Rouge brésil*
Saint-Exupéry, *Le Petit Prince*
Saint-Exupéry, *Vol de nuit*
Saint-Simon, *Mémoires*
Salinger, *L'attrape-coeurs*
Sand, *Indiana*
Sand, *La Mare au diable*
Sarraute, *Enfance*
Sarraute, *Les Fruits d'Or*
Sartre, *La Nausée*
Sartre, *Les mains sales*
Sartre, *Les mouches*
Sartre, *Huis clos*
Sartre, *Les Mots*
Sartre, *L'existentialisme est un humanisme*
Sartre, *Qu'est-ce que la littérature?*
Schéhérazade et Aladin
Schlink, *Le Liseur*
Schmitt, *Odette Toutlemonde*
Schmitt, *Oscar et la dame rose*
Schmitt, *La Part de l'autre*
Schmitt, *Monsieur Ibrahim et les fleurs du Coran*
Semprun, *Le mort qu'il faut*
Semprun, *L'Ecriture ou la vie*
Sépulvéda, *Le Vieux qui lisait des romans d'amour*
Shaffer et Barrows, *Le Cercle littéraire des amateurs d'épluchures de patates*
Shakespeare, *Hamlet*
Shakespeare, *Le Songe d'une nuit d'été*
Shakespeare, *Macbeth*
Shakespeare, *Romeo et Juliette*
Shan Sa, *La Joueuse de go*
Shelley, *Frankenstein*
Simenon, *Le bourgmestre de Fume*
Simenon, *Le chien jaune*
Sinbad le marin
Sophocle, *Antigone*
Sophocle, *Œdipe Roi*
Steeman, *L'Assassin habite au 21*
Steinbeck, *La perle*
Steinbeck, *Les raisins de la colère*
Steinbeck, *Des souris et des hommes*
Stendhal, *Les Cenci*
Stendhal, *Vanina Vanini*
Stendhal, *La Chartreuse de Parme*
Stendhal, *Le Rouge et le Noir*
Stevenson, *L'Etrange cas du Docteur Jekyll et de M. Hyde*
Stevenson, *L'Île au trésor*
Süskind, *Le Parfum*
Szpilman , *Le Pianiste*
Taylor, *Inconnu à cette adresse*
Tirtiaux, *Le passeur de lumière*
Tolstoï, *Anna Karénine*
Tolstoï, *La Guerre et la paix*
Tournier, *Vendredi ou la vie sauvage*
Tournier, *Vendredi ou les limbes du pacifique*
Toussaint, *Fuir*
Tristan et Iseult
Troyat, *Aliocha*
Uhlman, *L'Ami retrouvé*
Ungerer, *Otto*
Vallès, *L'Enfant*
Vargas, *Dans les bois éternels*
Vargas, *Pars vite et reviens tard*
Vargas, *Un lieu incertain*
Verne, *Deux ans de vacances*
Verne, *Le Château des Carpathes*
Verne, *Le Tour du monde en 80 jours*
Verne, *Madame Zacharius, Aventures de la famille Raton*
Verne, *Michel Strogoff*
Verne, *Un hivernage dans les glaces*
Verne, *Voyage au centre de la terre*
Vian, *L'écume des jours*
Vigny, *Chatterton*
Virgile, *L'Enéide*
Voltaire, *Jeannot et Colin*
Voltaire, *Le monde comme il va*
Voltaire, *L'Ingénu*
Voltaire, *Zadig*
Voltaire, *Candide*
Voltaire, *Micromégas*
Wells, *La guerre des mondes*
Werber, *Les Fourmis*
Wilde, *Le Fantôme de Canterville*
Wilde, *Le Portrait de Dorian Gray*
Woolf, *Mrs Dalloway*
Yourcenar, *Comment Wang-Fô fut sauvé*
Yourcenar, *Mémoires d'Hadrien*
Zafón, *L'Ombre du vent*
Zola, *Au Bonheur des Dames*
Zola, *Germinal*
Zola, *Jacques Damour*
Zola, *La Bête Humaine*
Zola, *La Fortune des Rougon*
Zola, *La mort d'Olivier Bécaille et autres nouvelles*
Zola, *L'attaque du moulin et autre nouvelles*
Zola, *Madame Sourdis et autres nouvelles*
Zola, *Nana*
Zola, *Thérèse Raquin*
Zola, *La Curée*
Zola, *L'Assommoir*
Zweig, *La Confusion des sentiments*
Zweig, *Le Joueur d'échecs*

NOTES

Printed in Germany
by Amazon Distribution
GmbH, Leipzig